Dans
une coquille
de noix

Dans une coquille de noix

texte de Jean-Pierre Davidts
illustrations de Claude Cloutier

Boréal Maboul

Les Éditions du Boréal sont inscrites au Programme
de subvention globale du Conseil des Arts du Canada
et reçoivent l'appui de la SODEC.

© Les Éditions du Boréal
Dépôt légal: 1er trimestre 1997
Bibliothèque nationale du Québec

Diffusion au Canada: Dimedia
Distribution et diffusion en Europe: Les Éditions du Seuil

Données de catalogage avant publication (Canada)
Davidts, Jean-Pierre

    Dans une coquille de noix

    (Boréal Maboul)

    (Les Mésaventures du roi Léon; 3)

    Pour enfants.

    ISBN 2-89052-812-X

    I. Cloutier, Claude, 1957- . II. Titre. III. Collection. IV.
    Collection: Davidts, Jean-Pierre. Les Mésaventures du roi Léon;
    3.

PS8557.A81856D36   1997   jC843'54   C96-941520-6
PS9557.A81856D36   1997
PZ23.D38Da   1997

1

Sur la plage

Quand le roi Léon avait annoncé son intention d'aller prendre un bain de soleil à la plage, le Grand Chambellan l'avait averti:

— Ne restez pas trop longtemps au soleil, Sire. Bronzer est mauvais pour la peau.

Le roi Léon avait répondu, un peu agacé:

— Je ne suis plus un lionceau. Je sais ce que je fais. Et puis, comment voulez-vous que je bronze? Je suis déjà brun.

Le roi Léon s'était donc allongé sur le sable pour une séance de blondissage. Après la Fête des pêches, le Bal des mandarines et le Festival des pruneaux, il avait bien mérité un peu de repos.

Il était sur le point de s'endormir quand soudain… *boum*… un poids lui tomba sur les fesses.

— Qu'est-ce que c'est? Qui ose s'attaquer au roi des animaux?

Une voix de raton laveur qu'il connaissait bien lui répondit:

— Mille pardons, Sire. Ce n'est que moi, Maître Sisson. J'étais si perdu dans mes pensées que je ne vous ai pas vu. Je suis désolé.

Le roi se releva. Maître Sisson se tenait devant lui, une grosse pelote de ficelle à la patte. Intrigué, le roi lui demanda:

— Que diable faites-vous avec cette ficelle?

— Je trace une carte des environs du palais. Comme j'ignorais la longueur de la plage, j'ai décidé de la mesurer.

Maître Sisson était le Grand Géographe du royaume. Il attachait beaucoup d'importance à la précision. C'est pourquoi il notait toujours dans un petit carnet la longueur, la

largeur et la hauteur des objets qu'il ren-
contrait.

Le roi proposa:

— Il fait bien trop chaud pour travailler.
Asseyez-vous et mangez un fruit avec moi.
Vous me raconterez un de vos voyages, ils
sont si intéressants.

Maître Sisson était allé partout dans le
monde. À l'ouest, au sud, à l'est. Même au
nord, là où il fait si froid que les paroles
gèlent en sortant de la bouche!

Le roi soupira:

— Vous en avez de la chance! J'aimerais
tant voyager, moi aussi, mais je ne peux jamais m'éloigner du palais très longtemps. Il
y a toujours une fête à organiser.

Maître Sisson hocha la tête d'un air com-

préhensif. Puis il fronça les sourcils et son visage s'éclaira brusquement.

— J'ai une idée, Sire. Pourquoi ne ferions-nous pas un tour dans mon bateau?

Le roi regarda autour de lui. Il ne voyait que du sable, de l'eau et des cocotiers.

— Quel bateau?

— Celui que j'ai dans mon sac!

2

Petit bateau deviendra grand

Le roi se demandait si le soleil n'avait pas tapé sur la tête du Grand Géographe. Comment un bateau pouvait-il entrer dans un si petit sac?

Maître Sisson farfouilla dans son matériel d'où il tira un pot plein de pommade. Ensuite il prit une noix de coco qui traînait par terre et la cassa en deux. Puis il étendit soigneusement la crème sur une moitié de la coquille.

— Reculez, Sire.

— Pourquoi?

— Cette pommade a le pouvoir de faire grandir les objets. Je m'en sers pour allonger ma ficelle quand elle est trop courte.

À peine avait-il dit cela que la taille de la demi-noix de coco doubla, tripla, se multiplia à toute vitesse. La coquille fut bientôt assez spacieuse pour accueillir deux passagers.

Le Grand Géographe termina ses préparatifs. Il noua un bout de la ficelle à un palmier et fixa la pelote au bateau improvisé[1].

Cela fait, il se tourna vers le roi Léon.

— Aidez-moi, Sire. Nous allons pousser la noix de coco à l'eau.

---

1. Improvisé signifie fait tout de suite, sans préparation.

La coquille géante flottait doucement sur la mer. Maître Sisson se hissa dedans.

— Venez, Majesté. Je vous emmène en croisière.

Le roi hésitait. Il avait fort envie de naviguer, mais toute cette eau lui faisait un peu peur. Pour une raison mystérieuse, affronter l'océan dans une coquille de noix ne lui paraissait pas très prudent. Encore moins sans rame ni voile, rattachés au rivage par une simple ficelle.

— Cette ficelle me semble fragile.

— Aucun danger, Majesté. C'est un mélange de soie et de fil d'araignée garanti incassable. Il faudrait une paire de ciseaux bien aiguisés pour la couper.

— Je la trouve tout de même bien mince.

Maître Sisson l'encouragea.

— Il n'y a rien à craindre, Sire. Venez, vous allez faire le plus beau voyage de votre vie.

L'assurance du Grand Géographe finit par avoir raison des inquiétudes du roi. Celui-ci embarqua donc à son tour et Maître Sisson dévida sa pelote afin de laisser le courant emporter le bateau.

3

De la compagnie imprévue

— J'ai eu tort de m'inquiéter. Cette croisière était une excellente idée.

Le roi se tenait à l'avant du bateau. Maître Sisson, lui, prenait des notes à l'arrière. En réalité, le roi n'était pas sûr qu'il s'agissait de l'avant. Où se trouvent le devant et le derrière dans un bateau rond?

La ficelle se déroulait doucement. Il suffirait de la rembobiner pour regagner la terre ferme.

Le roi Léon aperçut une masse sombre à

sa droite. Il pointa la patte dans cette direction.

— Qu'est-ce que c'est?

Le Grand Géographe leva les yeux de son carnet.

— Ce doit être l'île Malleurt. Elle n'est pas très loin de la côte.

Maître Sisson retourna à ses notes. Le roi prit une grande respiration.

— Aaaaaaah! Que c'est bon.

L'air du large lui ouvrait l'appétit. Il préleva un morceau de chair de noix de coco et le mâcha pensivement. Soudain, un choc secoua le bateau.

— Que se passe-t-il?

— Rien de grave, Sire. Nous sommes simplement arrivés au bout du fil.

Rassuré, le roi recommença à grignoter tout en contemplant les vagues bordées d'écume[1]. Un vol d'oiseaux traversa le ciel. Le roi Léon agita les pattes pour les saluer. Un oiseau l'aperçut. Sa curiosité aiguisée, il plana jusqu'au bateau et se posa sur le fil qui le rattachait au rivage.

Le roi n'avait jamais vu d'oiseau semblable. Il avait le bec d'un toucan mais en plus pointu. Toutes les teintes imaginables de vert brillaient sur son plumage.

---

1. L'écume est la mousse blanche au sommet des vagues.

— Dites-moi, Maître Sisson, quel est cet oiseau?

Le raton laveur se retourna. Ses yeux s'agrandirent en apercevant le volatile qui les observait d'un air intéressé.

— C'est un oiseau de Malleurt, l'île que nous venons de croiser. Ne faites pas atten-

tion à lui et il s'en ira. Mais surtout, ne lui donnez rien à manger.

— Pourquoi?

— L'espèce est très vorace[2]. Et elle est réputée pour son mauvais caractère. Croyez-

---

2. Être vorace, c'est manger comme un glouton.

moi, le nourrir ne nous attirerait que des ennuis.

Cela dit, le Grand Géographe retourna à son travail.

Le roi Léon observa l'oiseau. Il le trouvait bien sympathique. Il pensa: «Maître Sisson est trop prudent. Je ne vois pas ce qui pourrait arriver de si terrible si je lui donnais un peu à manger.»

Il s'assura que le Grand Géographe ne le regardait pas, puis il prit quelques miettes de noix de coco et les jeta en l'air.

4

Ne coupez pas !

L'oiseau de Malleurt attrapa les morceaux de noix de coco que le roi Léon lui avait lancés. Il dut en apprécier le goût, car il s'approcha. Le roi lui dit tout bas:

— Va-t'en maintenant, je n'ai plus rien pour toi.

— *Crîîîîeueueurk!*

Le Grand Géographe releva la tête en entendant le cri aigu.

— Ne vous laissez pas influencer. Surtout, ne lui donnez rien.

Le roi n'aimait pas tellement qu'on lui

donne des conseils. Il grommela tout bas:
«Je ne suis plus un lionceau. Je sais ce que je
fais.» Alors, dès que Maître Sisson eut le dos
tourné, il préleva encore un peu de noix de
coco et en donna à l'oiseau.

— Tiens. À présent, c'est fini. File. Chou!

— *Crîîîîeueueurk!*

Cette fois, Maître Sisson ne prit même
pas la peine de se retourner.

— Vous êtes sûr de ne lui avoir rien
donné, Majesté?

— Euh… Juste un petit morceau de
noix de coco.

— Je vous avais pourtant prévenu.
Maintenant, il ne vous laissera plus tran-
quille. Pas tant que son estomac sans fond
ne sera pas rempli.

Tout à coup, le roi eut un sombre pressentiment[1]. Sa vie ne tenait qu'à un fil: le fil qui rattachait leur bateau au rivage. Or, un oiseau de Malleurt s'était posé sur ce fil. Cela ne lui disait rien de bon. Il décida de ne

---

1. Un pressentiment est l'impression qu'il va arriver quelque chose.

plus s'occuper du volatile. Celui-ci finirait sûrement par s'en aller s'il constatait qu'on ne le nourrissait plus.

— *Crîîîîeueueurk!*

L'oiseau de Malleurt dévisagea notre lion d'un œil mauvais. Le roi Léon fit semblant de n'avoir rien remarqué.

— *Crîîîîeueueurk!*

Après ce dernier cri, l'oiseau de Malleurt s'ébroua[2] et prit son envol. Le roi Léon passa une patte sur son front.

— Ouf! Je ne suis pas fâché de le voir partir. J'ai bien cru qu'il allait me sauter dessus.

---

2. Se secouer comme pour se réveiller.

— Le revoilà! Attention, Sire. Il attaque!

L'oiseau de Malleurt piquait droit sur eux. Les deux navigateurs s'aplatirent au fond de l'embarcation. *Vroufff.* Le roi Léon leva prudemment la tête, mais l'oiseau de Malleurt revenait déjà. *Vroufff.* Il était passé si près que la couronne du roi Léon avait failli tomber à l'eau.

— Restez couché, Majesté. Ainsi il ne pourra rien contre nous.

— Vous croyez?

— La coquille nous protège.

Le roi n'était guère rassuré. L'oiseau de Malleurt n'arrêtait pas de passer et de repasser au-dessus d'eux. *Vroufff. Vroufff. Vroufff.* Heureusement, il ne parvenait pas à les toucher.

L'oiseau disparut après un dernier *vroufff* suivi d'un **clac**. Le bateau se mit aussitôt à bouger.

Le roi cria:

— Le fil! Il a coupé le fil qui nous reliait à la terre. Nous voilà perdus au milieu de toute cette eau qui n'est même pas bonne à boire!

5

Il était un petit, petit navire

Le roi Léon tirait sur la ficelle qui traînait dans l'eau, derrière le bateau.

— AU SECOURS! AU SECOURS!

— Inutile de crier, Sire, il n'y a personne au bout du fil.

Le roi se tourna vers le Grand Géographe.

— Vous n'êtes qu'un sot, Sisson. Quelle idée stupide de vouloir voyager sur l'océan dans une coquille de noix attachée à la terre par un fil. Qu'allons-nous devenir mainte-nant?

— Si vous m'aviez écouté, Majesté, rien ne serait arrivé.

Le roi se tut. Maître Sisson prit un instrument bizarre dans son sac et regarda le ciel. Ensuite, il mouilla un doigt et le tendit en l'air. Finalement, il jeta une sorte de petit gobelet dans l'eau et le regarda dériver. Tout cela sans dire un mot. Ces manières agaçaient beaucoup le roi.

— Que faites-vous?

— J'établis notre position, la direction du vent et la vitesse du courant.

— Ah! Pourquoi?

— Grâce à ces indications, je peux vous assurer que, dans moins de deux heures, nous accosterons à l'île Iko.

— Vous en êtes sûr?

— C'est mathématique. Il n'y a qu'à attendre.

Le roi ne comprenait pas grand-chose aux mathématiques. Il était bien obligé de faire confiance au Grand Géographe. Pour passer le temps, il s'allongca au fond du bateau et se remit à grignoter de la noix de coco.

Il finit par s'endormir et fit un rêve.

Le roi jouait à cache-cache avec une superbe jument. Il se faufila dans un vieil arbre creux. Malheureusement, quand il voulut sortir de sa cachette, l'écorce s'était refermée autour de lui. Il était prisonnier à l'intérieur du tronc.

Le roi Léon se réveilla en sursaut. Il détestait les cauchemars. Il regarda autour de lui. Quelque chose avait changé, mais quoi? Soudain, il sut.

— Maître Sisson, Maître Sisson. Le bateau rapetisse.

Le Grand Géographe abandonna la carte qu'il était en train de dessiner.

— Vous avez raison, Sire. La pommade agrandissante a dû fondre dans l'eau. Oh! Là. Regardez. L'île Iko. Nous allons la manquer. Vite, faites comme moi.

Le raton laveur sauta à l'eau et nagea vers la terre ferme. Le roi protesta:

— Mais, toute cette eau, ce doit être mauvais pour la santé!

— Dépêchez-vous, Majesté, vous vous éloignez.

À contrecœur, le roi se pinça le nez et plongea à la suite du Grand Géographe.

6

Drôle de coco

Le roi Léon se rappelait pourquoi il n'aimait l'eau que dans un verre. Il nageait très mal. Surtout avec une couronne sur la tête et une cape dans le dos. Maître Sisson lui lançait des encouragements.

— Encore un petit effort, Sire. Nous y sommes presque.

Le roi aurait bien voulu répondre que ce n'était pas trop tôt. Malheureusement, il était trop occupé à battre des pattes pour ne pas s'enfoncer dans l'eau.

Ils atteignirent enfin le rivage. Après

s'être un peu reposés, les deux naufragés décidèrent de visiter l'île. Ils n'y découvrirent rien, sauf une sorte de cocotier inconnue. Le roi ronchonna:

— Comment allons-nous rentrer au palais? J'ai faim. Je n'ai pas envie de manger de la noix de coco le restant de mes jours.

— Il me reste de la pommade magique. Nous n'avons qu'à prendre un fruit et fabriquer une nouvelle embarcation.

Comme il n'y en avait aucun sur le sol, le roi se dirigea vers l'arbre le plus proche. Les noix qu'il portait étaient énormes. En fait, elles ressemblaient plus aux fesses d'un cochon bien portant qu'à une vraie noix de coco.

Le roi se plaça sous l'arbre. Maître Sisson l'interrogea:

— Que faites-vous, Majesté?

— Je vais le secouer pour faire tomber un fruit.

— Les noix sont trop grosses, Sire. Vous pourriez vous blesser.

Le roi grommela:

— Je ne suis plus un lionceau. Je sais ce que je fais.

Maître Sisson ne répondit pas. Il recula simplement d'un pas, par prudence. Le roi Léon saisit fermement le cocotier et en agita le tronc. Un fruit se détacha presque aussitôt et tomba, telle une bombe. Le roi n'eut pas le temps de s'écarter. La noix de coco s'écrasa sur sa tête.

Tout devint noir.

— Je ne vois plus. Je suis aveugle! JE
SUIS AVEUGLE!

— Mais non, Majesté, calmez-vous. Ce
n'est que votre couronne. Le choc vous l'a
enfoncée sur la tête.

Après plusieurs tentatives, le Grand Géographe réussit à débarrasser le roi du bandeau métallique qui lui couvrait les yeux. Non sans lui arracher par la même occasion quelques poils et quelques cris.

— On ne devrait pas laisser pousser ces fruits. Ils sont trop dangereux.

— Je vous avais prévenu, mais vous ne m'avez pas écouté.

Le roi ne répliqua pas. Avec une pierre, Maître Sisson fendit la noix en deux. Ensuite il l'enduisit de pommade. Les deux compères poussèrent la coquille à l'eau dès qu'elle fut assez grande.

Cependant, au lieu de flotter, leur bateau coula à pic, au grand étonnement du roi Léon.

— Quelle est cette diablerie, Sisson?

— J'ai peur de comprendre, Majesté. Normalement, quand une noix de coco tombe à l'eau, les vagues l'emportent au loin jusqu'à ce qu'elle échoue sur une île. Alors, la noix prend racine et un nouveau cocotier pousse à l'endroit où la mer l'a déposée. Ce cocotier est différent. Ses fruits sont trop lourds. Ils ne flottent pas. C'est pourquoi on n'en trouve nulle part ailleurs que dans cette île.

— Voilà bien notre malchance. De toutes les îles de l'océan, il a fallu que nous tombions sur celle où les noix de coco ne servent à rien. Je ne vais quand même pas passer toute ma vie ici. Des tas de choses importantes m'attendent au palais. Il y a

euh… ma collection de billes à épousseter.
Et puis euh… quelqu'un doit bien goûter
aux nouveaux plats du Chef cuisinier.

Le roi finissait à peine de se plaindre
qu'une voix dit, derrière eux:

— Chalut la compagnie.

Le roi Léon et Maître Sisson se retour-
nèrent. Une marmotte les dévisageait. Une
marmotte avec une chandelle sur la tête!

7

Chortie de checours

Le roi Léon ne parvenait pas à cacher son étonnement.

— Qui êtes-vous, mon amie?

— Je me nomme Chtéphanie, mais vous pouvez m'appeler Chtef.

— Enchanté euh… Chtef.

La marmotte rectifia.

— Pas Chtef, *Cht*ef, comme dans chau-chichon.

— Chauchichon?

Le Grand Géographe vint à son secours.

— Saucisson, Majesté.

— Ah! Oui euh… saucisson. Mais dites-moi Ch… euh… Stef, vous habitez sur l'île? Nous pensions qu'elle était déserte.

— Pas chur, Chire. Dans.

— Pachurchirdan?

Le roi ne comprenait plus rien. Maître Sisson expliqua:

— Notre amie veut dire qu'elle ne vit pas à la surface, mais sous le sol. N'est-ce pas?

La marmotte approuva en hochant la tête.

— Chuivez-moi, je vais vous montrer.

Le roi Léon et Maître Sisson emboîtèrent le pas à leur guide. Stef les conduisit jusqu'à un bouquet de palmiers. Au centre, un petit monticule marquait l'emplacement d'un terrier.

— Voilà.

Le Grand Géographe prit un air pensif.

— J'aperçois bien l'entrée, mais où se trouve la sortie?

— Laquelle? J'en ai tellement. Je peux me déplacher partout où je veux chur terre chans mettre le bout du nez dehors.

— Hum! Vous n'auriez pas une petite sortie près du palais, par hasard?

— Bien chûr que chi.

Maître Sisson sourit.

— Alors nous sommes sauvés, Majesté. Nous n'avons qu'à emprunter ce chemin pour rentrer chez nous.

Le roi examina d'un air soupçonneux le petit trou à ses pieds.

— Je ne veux pas jouer les rabat-joie[1], mais je suis bien trop gros pour passer par là.

Stef rassura le roi Léon.

— Laichez-moi faire, Chire, je vais vous arranger cha en viteche.

La marmotte se mit à l'ouvrage. Quelques minutes lui suffirent pour agrandir le passage.

— Maintenant, vous n'aurez aucune difficulté à pacher, Majechté. Il ne me rechte plus qu'à allumer ma bougie et nous pourrons partir.

----

1. Un rabat-joie est une personne qui gâche le plaisir des autres.

8

Des trucs et des machins

Maître Sisson, Stef et le roi Léon avançaient à quatre pattes dans le tunnel. Heureusement, celui-ci s'élargit rapidement et ils purent se redresser. La lumière de la chandelle leur permettait d'avancer plus facilement.

Le couloir déboucha bientôt sur une vaste salle souterraine. D'innombrables aiguilles de pierre en couvraient le sol et le plafond.

Le roi ouvrit de grands yeux émerveillés.

— Fantastique! Qu'est-ce que c'est?

Maître Sisson déclara:

— Des stalactites et des stalagmites, Sire.
On en trouve parfois dans les cavernes.

— Eh bien, ces scala… euh, ces stata…
euh, enfin, ces machins sont très jolis.

Le trio repartit. Le roi marchait lente-
ment, le nez en l'air, pour ne rien rater du
spectacle. Les machins prenaient toutes
sortes de formes bizarres. Il vit un cornet de
crème glacée géant, une gigantesque couronne et même un monstre terrifiant avec

de grandes dents. Aucune colonne ne ressemblait à une autre. On se serait cru dans un palais enchanté.

Stef s'impatienta.

— Il faut nous dépêcher, car ma chandelle baiche. Chi elle ch'éteint, nous ne verrons plus rien.

— N'ayez crainte, mon amie. Nous, les lions, voyons très bien dans le noir.

— Pas chous terre, Chire. Il fait beaucoup trop chombre.

— Allons donc. Je vais vous montrer.

Le roi s'éloigna de quelques mètres.

— Éteignez, maintenant.

— Vous allez vous cogner, Majechté.

Le roi s'emporta. Pourquoi tout le monde lui donnait-il des conseils?

— Je ne suis plus un lionceau. Je sais ce que je fais. Éteignez, c'est un ordre.

La marmotte obéit. Ils se retrouvèrent instantanément dans le noir. Un noir si noir que, malgré ses yeux de félin, le roi n'apercevait pas le bout de son nez! Il avança tout de même, car il ne voulait pas avouer qu'il avait tort.

— Aïe! Ouille!

Stef ralluma. Le roi sautillait sur une patte en se tenant le pied. Maître Sisson sourit et demanda:

— Qu'y a-t-il, Sire?

— Il y a que je me suis fait mal en me cognant le pied contre une de ces fichues stalactites.

— Stalag*m*ite, Sire.

Le roi regarda le Grand Géographe d'un air furieux.

— Décidez-vous. Stalac*t*ite ou stalag-*m*ite?

— Celles qui montent du sol sont des stalagmites, Majesté. Celles qui tombent du plafond s'appellent des stalactites.

— Tout cela est trop compliqué pour moi. Je préfère dire des trucs et des machins.

9

Retour au palais

Nos trois amis vagabondèrent deux heures à travers les galeries avant de retrouver le grand air. Enfin ils en empruntèrent une qui se terminait au pied d'un grand chêne, à deux pas du palais.

Le roi était très heureux de revoir la lumière du jour. Il n'était vraiment pas fait pour vivre sous terre. Les grottes étaient pleines de trucs contre lesquels il se heurtait la tête et de machins dans lesquels il trébuchait!

Le roi se tourna vers Maître Sisson et Stéphanie.

— Ces émotions m'ont creusé l'appétit. Si nous allions faire un tour aux cuisines?

Le raton laveur et la marmotte jugèrent l'idée excellente.

Maître Alé, gorille et Chef cuisinier de son état, les accueillit à bras ouverts. Il commençait justement à s'inquiéter. Le roi n'avait pas l'habitude de manquer sa collation de quatre heures.

— J'ai cru que vous n'aimiez plus ma cuisine. Installez-vous, je vous apporte de quoi préparer des sandwiches.

Le Grand Géographe, Stef et le roi Léon s'assirent à table. Maître Alé revint bientôt. Il déposa devant eux du pain, du beurre, du

chocolat, de la confiture
et toutes sortes
de bonnes choses.
Le roi Léon
annonça:

— J'ai une faim de
loup, même si je n'en suis pas un.

Et il construisit un énorme sandwich, si
haut qu'il n'aurait pu entrer dans la gueule
d'un éléphant! Maître Alé regarda le roi
d'un œil désapprobateur[1].

— Vous allez être malade, Majesté, si
vous avalez tout ça.

— Je ne suis plus un lionceau. Je sais ce
que...

---

1. Désapprobateur veut dire qui n'est pas d'accord.

Il s'interrompit et leva la tête. Stef et Maître Sisson le dévisageaient en silence. Le roi Léon se rappela l'oiseau de Malleurt qui avait coupé le fil du bateau, la noix qui lui était tombée sur la tête et sa mésaventure dans la caverne. Tout cela par sa faute. Rien ne serait arrivé s'il avait accepté les conseils qu'on lui avait donnés.

— Euh… Vous avez sans doute raison, Maître Alé.

Le roi enleva deux minuscules tranches de pain du monumental sandwich.

— Là. Ainsi, c'est plus raisonnable.

Tout le monde rit très fort quand il avala sa première bouchée, mais le roi Léon ne comprit pas pourquoi.

Est-ce vrai ?

Oui, les noix de coco flottent sur l'eau. Le cocotier se multiplie ainsi. C'est pourquoi on en trouve un peu partout dans les îles du Pacifique. Une seule espèce donne des fruits à coquille trop épaisse pour flotter. Il s'agit du coco de mer ou coco-fesses. Ce cocotier ne pousse que dans les îles Seychelles.

Non, les terriers de la marmotte ne parcourent pas toute la Terre. Ils mesurent au plus une dizaine de mètres. La marmotte ne creuse pas non plus sous l'eau.

Oui, on trouve des stalactites et des stalagmites dans certaines cavernes. L'eau de pluie fait fondre le calcaire (une sorte de roche) en traversant le sol. Une partie du calcaire colle au plafond de la grotte. Le reste se dépose à l'endroit où la goutte tombe. Ces aiguilles de pierre prennent des milliers d'années à «pousser».

Non, la soie n'est pas incassable. Cependant, elle est

plus solide que l'acier et deux fois plus élastique que le nylon, une fibre artificielle. La soie vient du cocon d'un papillon, le bombyx du mûrier. Le fil que l'araignée tisse est en soie lui aussi.

MISE EN PAGES ET TYPOGRAPHIE :
LES ÉDITIONS DU BORÉAL

ACHEVÉ D'IMPRIMER EN JANVIER 1997
SUR LES PRESSES DE L'IMPRIMERIE AGMV,
À CAP-SAINT-IGNACE (QUÉBEC).